Ellie en Nellie op het onbewoonde eiland

Rindert Kromhout

Ellie en Nellie op het onbewoonde eiland

Met illustraties van Annemarie van Haeringen

 Leopold / Amsterdam

AVI 7

Copyright © Rindert Kromhout 2009
Copyright © illustraties Annemarie van Haeringen 2009,
all rights reserved
Kaart op pagina 12-13 Alex de Wolf
Handgeschreven briefjes Rindert Kromhout
Omslagontwerp Marjo Starink
Vormgeving binnenwerk Studio Cursief
NUR 282 / ISBN 978 90 258 5322 8

FSC
Mixed Sources
Productgroep uit goed
beheerde bossen en andere
gecontroleerde bronnen.
Cert no. CU-COC-803223
www.fsc.org
© 1996 Forest Stewardship Council

Uitgeverij Leopold drukt
haar boeken op papier
met het FSC-keurmerk.
Zo helpen we waardevolle
oerbossen te behouden.

Inhoud

Land in zicht

Er dobbert een roeiboot op de oceaan. In dat bootje
zitten twee meisjes en hun vader. De meisjes hebben
blonde haren en blauwe ogen. Ze dragen roze jurkjes
en hebben strikken in hun haar. Hun vader roeit.
Nieuwsgierig turen de meisjes over het water.
'Zie jij al wat, zus?' vraagt Ellie.
'Nog niks,' antwoordt haar tweelingzus Nellie. Ze
neemt een hap van een broodje kaas. 'Roeien, pap,
roeien!'
'Ik doe mijn best,' zegt vader hijgend.
Zweetdruppeltjes rollen over zijn gezicht.
Ook Ellie eet een broodje. Gulzig zit ze erop te
kauwen. De zon schijnt fel, hoog boven het bootje
vliegen twee witte vogels.
'Ik zou ook wel iets lusten,' zegt vader. 'Ik heb
honger gekregen van al dat geroei.'
'De broodjes zijn op,' zegt Ellie. Gauw propt ze het
laatste stukje in haar mond.
'*Wij* moeten er nog van groeien,' zegt Nellie met volle
mond.
Hoofdschuddend trekt vader aan de roeispanen. 'Ik
had het kunnen weten,' mompelt hij.
'Geld...' zegt Ellie.

'Goud...' fluistert Nellie.

'Land in zicht!' roept Ellie uit. Ze wijst. In de verte is een groene streep te zien.

Ze kijken allemaal en zien een strand met een bos erachter. Het eiland komt snel dichterbij. De tweeling juicht.

'*Isla Gemini*!' zegt vader tevreden. 'Eindelijk.' Hij geeft nog een paar flinke halen aan de roeispanen en dan loopt de roeiboot vast op het zand. Kleine golfjes slaan tegen de boeg, twee oranje krabben rennen weg door het ondiepe water.

Ellie en Nellie springen uit het bootje en rennen het strand op.

'De schat!' roepen ze uit. 'We willen de schat!'

'Ho, wacht even!' zegt vader. 'Rustig aan een beetje.'

Gehoorzaam blijven Ellie en Nellie stilstaan.

'Morgen gaan we op zoek,' zegt vader, 'nu ben ik
moe. Over een uurtje wordt het donker en die schat
loopt heus niet weg. Ik ga hout sprokkelen voor een
kampvuur. Gaan jullie maar op zoek naar lekkere
vruchten, anders hebben we vanavond niks te eten.
Ik ben zo terug.'
En vader verdwijnt het bos in.

Wat is dat voor eiland? Wat doen Ellie en Nellie hier?
Het begon allemaal vanmorgen, toen ze op de boot
naar Spanje zaten...

De schatkaart

'Bah,' zegt Ellie. 'Ik ben misselijk.'

'Ik wil naar huis,' zegt Nellie.

'We gaan ook naar huis,' zegt vader, 'naar ons nieuwe huis in Spanje. We gaan bij oma wonen. Fijn hè?'

Ja, ze zijn onderweg naar Spanje, Ellie, Nellie en hun vader en moeder. Al drie dagen lang zijn ze onderweg. Eerst reden ze een heel eind met de auto. Toen gingen ze aan boord van een groot schip en op dat schip zitten ze nu nog steeds.

'Ik wil liever terug naar ons oude huis,' zegt Ellie.

'Ik ook,' knikt Nellie. 'Ik wist niet dat Spanje zo ver weg was.'

'We hadden het zo fijn in ons dorp,' zegt Ellie.

'O ja?' vraagt vader. Hadden we het zo fijn in ons dorp? En waarom moesten we dan weg uit Nederland?'

'Voor altijd weg...' zegt moeder.

Vader krijgt geen antwoord. Ellie haalt haar schouders op, Nellie kijkt stuurs de andere kant uit.

'Nou, vertel op,' zegt vader streng.

Aarzelend zegt Ellie: 'Eh... omdat we wel eens iemand plaagden.'

'En omdat we wel eens een snoepje van iemand afpakten,' geeft Nellie toe.

Vader moet hard lachen. '*Wel eens iemand plaagden?* Jullie waren de schrik van het land. Iedereen was bang voor jullie. Erge Ellie en nare Nellie werden jullie genoemd. Daarom moesten we verhuizen, niemand wilde bij ons in de buurt wonen. Dat weten jullie heus nog wel.'

Klopt, Ellie en Nellie weten dat heus nog wel. Maar ze hebben helemaal geen zin om erover te praten.

'Niet zo sip kijken,' zegt vader. 'Het wordt geweldig leuk in Spanje. Kom bij me zitten, dan lees ik een mooi verhaal voor. Kijk eens, daar is een plank vol boeken. Er zit vast wel een leuk voorleesverhaal tussen.' Hij loopt naar de plank en pakt een boek. 'Ah, dit ziet er goed uit.'

Als hij het boek openslaat valt er een envelop uit. 'Hé, wat is dat nou?' Vader maakt de envelop open en haalt er een brief uit. Of nee, het is geen brief, het is een tekening, een oude tekening op een oud stuk papier vol vlekken en scheuren.

'Wat zullen we nou krijgen? Meisjes, moet je kijken.' Allemaal bekijken ze de tekening en dit is wat ze zien:

'Isla Gemini,' zegt Ellie. 'Wat betekent dat?'

'Dat betekent *Tweelingeiland*,' legt moeder uit. 'Zie je die twee heuvels op de kaart? Die zien er precies eender uit. Een tweeling, net als jullie.'

'En zie je dat kruisje daar?' vraagt vader. 'Ik heb wel eens avonturenboeken gelezen over kaarten van eilanden. Altijd als er een kruisje op die kaart staat, betekent dat...'

'Een schatkaart, het is een schatkaart!' roept moeder uit. 'Bij dat kruisje is een schat verstopt. Denk je niet, Henk?'

Een schat? Verrast kijken Ellie en Nellie elkaar aan. Even flikkert er iets in hun ogen, maar vader en moeder zien dat niet.

'Het is een oude kaart,' zegt vader. 'Hij heeft vast jarenlang in dat boek verstopt gezeten. Wat een geluk dat *wij* hem hebben gevonden.'

'Een schat...' fluistert Ellie.

'Goud en juwelen...' zegt Nellie dromerig.

'Wat voor een schat zou dat zijn?' vraagt moeder, terwijl ze nog steeds haar ogen niet van de kaart kan afhouden.

Vader denkt na. 'Misschien is het wel een kist vol geld en goudstukken. Stel je voor dat die schat van óns zou zijn. Dan waren we rijk en kon ik een prachtige boerderij in Spanje kopen. Wat zou dat fantastisch zijn!'

Ellie en Nellie beginnen allebei te trillen.

'Hebben we haast om naar Spanje te gaan?' vraagt moeder.

'Welnee,' zegt vader. 'We hebben alle tijd van de wereld. Alleen wacht oma op ons.'

'We kunnen best wat geld gebruiken,' zegt moeder.

'Hm,' zegt vader. 'Hmmm.' Dan kijkt hij naar Ellie en Nellie. 'Meisjes?' vraagt hij. 'Wat zouden jullie ervan vinden als we naar die schat gaan zoeken?'

Naar die schat zoeken? Naar een onbewoond eiland gaan om naar een schatkist met geld en goud en juwelen te zoeken?

Ellie en Nellie gaan in een hoekje met elkaar zitten fluisteren.

'Ik wil die schat,' zegt Ellie.

'Ik ook,' knikt Nellie.

'Als we rijk zijn, kunnen we alles kopen wat we willen,' zegt Ellie.

'Een kooi om Spaanse kinderen in op te sluiten,' zegt Nellie.

'Een touw om ze mee vast te binden,' zegt Ellie.

'En heel veel snoep dat we allemaal zelf opeten. Die Spaanse kinderen krijgen niks.'

'Helemaal niks!'

'En dan kopen we een vliegtuig om mee naar Nederland te vliegen. Wat zullen die stomme kinderen in ons dorp schrikken.'

'Goed plan, zus.'

Op Nellies gezicht verschijnt een valse grijns. Ellie gaat terug naar vader en vraagt: 'Waar is dat eiland dan?'

'Geen idee.' Vader loopt naar de kapitein om te vragen of hij het misschien weet.

'Isla Gemini?' zegt de kapitein. 'Ja, dat eiland ken ik wel. Dat is hier helemaal niet ver vandaan. Het is een onbewoond eiland. Er wonen geen mensen, alleen maar dieren. Hoezo?'

'Ik eh... ik ben een boek over zeldzame dieren aan het schrijven,' verzint vader, terwijl hij gauw de kaart achter zijn rug verstopt. 'En ik heb gehoord dat daar heel bijzondere dieren zijn, dus ik wil er graag een kijkje nemen.'

'U boft,' zegt de kapitein. 'We komen er vlak langs en voor het laatste stukje mag u wel een roeiboot van me lenen.'

'Aardig van u,' zegt vader.

'En dan moet u me later maar eens vertellen wat voor dieren u hebt gezien,' zegt de kapitein. 'Ik ben dol op wilde dieren.'

'Echt waar?' vraagt vader.

'Ja, vroeger was ik geen kapitein. Ik heb heel lang in een circus gewerkt.'

'Was u circusdirecteur?'

'Ik was leeuwentemmer. Jarenlang heb ik met het circus rondgereisd. Toen mijn leeuwen te oud werden om op te treden, ben ik ermee gestopt. Maar ik wou graag blijven reizen en daarom ben ik kapitein geworden.'

'Wat interessant!' zegt vader.

Wat een saai gesprek, denkt Ellie.

Opschieten! We willen naar dat eiland, denkt Nellie.

'Ik ga niet mee,' zegt moeder. 'Ik ga alvast naar oma met onze spullen en ik zal haar vertellen dat jullie later komen.'

'Goed idee,' zegt vader. 'Als we allemáál naar dat eiland gaan, zal oma niet snappen waar we blijven en dan wordt ze ongerust. Vertel haar maar niks over die schatkaart, anders wil ze ook meedoen.'

Een uurtje later laat een matroos de roeiboot in zee zakken. Ellie en Nellie en hun vader gaan aan boord.

'Alsmaar rechtdoor varen, dan kom je er vanzelf,' zegt de kapitein. 'Over een paar dagen komen we jullie weer ophalen. Afgesproken?'

'Afgesproken.' En vader begint te roeien.

Dus zo is het allemaal gekomen.
Daarom zijn Ellie en Nellie nu
op dit onbewoonde eiland...

De schildpad

'Lekkere vruchten?' vraagt Ellie. 'Moeten we zelf ons eten zoeken? Daar heb ik helemaal geen zin in, zus.'
'Ik ook niet,' zegt Nellie. 'Ik wil die schat vinden. Waar is de kaart?'
'Die heeft pappa bij zich.'
'O.'
Zoekend kijken ze om zich heen. Zou die schat hier ergens liggen? Waar op de kaart stond dat kruisje ook alweer?
Opgewonden rennen Ellie en Nellie van struik naar struik, maar nergens ontdekken ze een schatkist. Buiten adem gaan ze op een boomstronk zitten.
'Zus, wat wil ik graag rijk zijn!' zegt Ellie met een zucht.
'Ik ook,' knikt Nellie. 'Als we rijk zijn, kopen we een huis waar we samen gaan wonen.'
'Ja! Dan hoeven we nooit meer te doen wat pappa en mamma zeggen.'
'Nee, want dan zijn we zelf de baas. Dan hoeven we nooit meer braaf te zijn.'
'Nooit meer!'
'O, zus, wat een avontuur! Ik zou wel honderd kinderen willen schoppen, zo spannend vind ik het.'

'Er zijn hier geen kinderen, zus.'

'Weet ik. Jammer.'

Een grote schildpad kruipt over het strand. Hij is
onderweg van het bos naar het water.

Ellie staat op. 'Moet je kijken wat een sloom beest
daar zit, zus.' Ze loopt naar de schildpad toe en hurkt
bij hem neer. Het dier heeft een zwarte vlek op zijn
schild. 'Dag lief diertje,' zegt ze. 'Wou jij weglopen?
Nee hè, daar ben je veel te sloom voor.'

Op dat moment verandert Ellie. Haar handen
worden klauwen, haar ogen spuwen vuur. Om haar
mond verschijnt een valse grijns.

En... pets! Een klap op het schild
van de schildpad. Een
schop tegen zijn staart.
Geschrokken trekt het
dier zijn kop en poten in.

19

Stilletjes blijft hij in het zand zitten.

Nellie schatert het uit, maar Ellie is nog niet tevreden. 'Help eens even, zus,' zegt ze. 'We gooien hem ondersteboven, dat is leuk.'

'Goed idee!' Meteen verandert ook Nellie van een meisje in een monster. Felle ogen, klauwen met scherpe nagels. En samen beginnen ze tegen de schildpad te duwen. Al gauw rolt het dier om en ligt hij op zijn rug hulpeloos met zijn poten te trappelen.

'Ziezo,' zegt Ellie.

'Goed zo,' zegt Nellie. 'Zo'n stom beest omgooien is nog leuker dan een vervelend kind schoppen.'

Tevreden loopt de tweeling weg. Geen van beiden kijkt nog naar de schildpad om.

Een eindje verderop zit een tweede schildpad. Ze is precies even groot als de eerste en heeft gezien wat er is gebeurd. Ook zij heeft een zwarte vlek op haar rug. Met haar kleine, glimmende ogen kijkt ze Ellie en Nellie na.

Die lopen naar de bosrand. Ze zien er nu weer uit als twee lieve kleine meisjes, met hun roze jurkjes en de strikken in hun haar.

Het bos

Waar is vader gebleven? Ellie en Nellie zijn in het
bos, maar ze zien hem nergens. Ze klauteren over
boomwortels en kruipen onder struiken door.
'Pappa, waar zit je?'
Ze krijgen geen antwoord. Hoog in een boom zit een
vogel te krijsen. Een andere vogel, ver weg, krijst
terug.
De bomen in het bos staan dicht op elkaar en de
struiken hebben stekels aan hun takken. Al gauw is
het strand niet meer te zien.
'Pappa!' roept Ellie weer.
Nellie blijft met haar jurk aan een stekel haken. Ze
rukt hem los en daardoor scheurt de jurk.
Bij een varen zit een grijs konijn zijn snuit te
poetsen.
'Kijk eens wat een lief konijn daar zit,' zegt Ellie.
'Ik ga hem vangen.'
'Waarom?' vraagt Nellie.
'Dan kan pappa hem braden. We moesten toch eten
zoeken?' Meteen duikt Ellie op het konijn af, maar
het dier is te snel. Gauw verdwijnt het in een veilig
hol. En ook in Ellies jurk zit nu een scheur.
'We maken het hol dicht, zus,' zegt Nellie, 'dan kan

dat konijn er niet meer uit.' Weer komt er
een gemene grijns op haar gezicht.
'Goed idee.' Ellie pakt een grote steen en
propt hem in de ingang van het hol. 'Ziezo,' zegt
ze tevreden, 'die zit gevangen.'
Ze ziet niet dat er bij een struik een eindje verderop
nóg een grijs konijn zit. Het konijn kijkt naar de steen
in het hol, trappelt boos met zijn achterpoten en hopt
weg...
Ellie en Nellie lopen verder, langs bomen en struiken,
steeds dieper het bos in.
'Pappa!' roepen ze weer, maar nog altijd krijgen ze
geen antwoord. Wat raar. Waarom is hij zo ver weg
gegaan? Er liggen overal takken voor het kampvuur,
die had hij zo op kunnen rapen.
'Misschien is hij naar de schat aan het zoeken,' zegt
Nellie. 'Als pappa hem vindt, hebben wij niks!'
Ellie begint te stampvoeten. 'Ik wil die schat!'
'Ik ook!' zegt Nellie. 'Ik móét hem gewoon hebben.
We gaan zoeken, zus.'
Maar ze hebben de schatkaart niet en ze weten de
weg niet in het bos.
Al zoekend en met steeds meer scheuren in hun
kleren, komen ze op een open plek met een vijvertje
en een grasveld. Moe laat de tweeling zich in het gras
vallen. Dan gaan ze op hun knieën bij de vijver

23

zitten. Het water is zoet. Dorstig drinken ze ervan.
Twee kleine, bruine apen klimmen een boom in,
twee bontgekleurde vlinders vliegen op van een
bloem.
De zon gaat onder, de lucht wordt eerst rood en dan
zwart. 'Ik heb het koud,' zegt Ellie.
'Ik heb zo'n honger,' zegt Nellie.
Snikkend kruipen de meisjes tegen elkaar aan.
Vanuit het duistere bos loeren vier ogen naar de
tweeling.
En dan, opeens, klinkt er geritsel in het struikgewas...

Pappa!

'Daar ben ik alweer!'

'Pappa, het is pappa!'

Ellie en Nellie springen op en hollen op hem af.

'Waar was je nou, pappa? We waren helemaal alleen.'

'Het bos is groter dan ik dacht,' antwoordt vader. Hij heeft een heleboel takken bij zich. 'En haast nergens is er een pad of een weggetje. Ik was verdwaald. Gelukkig maar dat we weer bij elkaar zijn. Hebben jullie al iets te eten gevonden?'

Ellie denkt aan het grijze konijn, maar ze weet niet meer precies waar dat hol was.

Maanlicht valt op het veldje. Twee uilen vliegen over. Vader loopt naar een boom en plukt er een vrucht van. 'Heerlijk.'

Even later zitten ze alledrie van de vruchten te eten. Sap druipt langs hun wangen. De vruchten smaken zoet.

Vader legt wat takken op een hoopje. Met een lucifer steekt hij het kampvuur aan. Kleine vlammetjes beginnen te knetteren.

'Pappa?' vraagt Nellie. 'Als ik en Ellie de schat het eerst vinden, mogen wij hem dan hebben?'

'En mogen we dan kopen wat we willen?' vraagt
Ellie met een zoet stemmetje.
Vader fronst. 'En wát zouden jullie dan willen
kopen?'
'Speelgoed voor zieke kinderen,' antwoordt Ellie.
'En eten voor kinderen in arme landen,' zegt Nellie.
'Of voor kinderen in landen waar het oorlog is.'
'Hm,' zegt vader. 'Echt? Willen jullie dat echt?'
Ellie en Nellie knikken heftig. 'Mogen we die schat
helemaal zelf houden, pappa? Dat zouden we zó fijn
vinden.'
Vader schudt zijn hoofd. 'Als we de schat vinden, is
hij voor ons allemaal,' zegt hij. 'Ook voor mamma.'
Bah! denkt Ellie.
Mislukt... denkt Nellie.

'Maar nu...' zegt vader, 'nu is het tijd om naar bed te
gaan. We moeten goed slapen, dan kunnen we
morgen lekker uitgerust naar de schat gaan zoeken.
We hebben geen haast, want de kapitein komt ons
pas over een paar dagen ophalen. Wat een aardige
man. En wat leuk dat hij vroeger leeuwentemmer is
geweest.'

'Ik zie nergens een huis,' zegt Nellie. 'Waar is ons
bed?'

Vader lacht. 'Natuurlijk is hier geen huis, we zijn op
een onbewoond eiland. Zoek maar een fijn plekje
onder een boom.'

Nadat hij dat heeft gezegd, vouwt vader zijn jasje op
en maakt daar een soort kussen van. Tevreden gaat
hij in het gras liggen, met zijn hoofd op het jasje.

Ellie en Nellie kijken elkaar aan. Geen huis, geen
zacht bed, geen lekker eten dat moeder heeft
gekookt. En wat is het donker in dit bos!

Twee grote vleermuizen vliegt over. Een uil krast
luid.

'Pappa?' vraagt Ellie.

Maar vader slaapt al. Hij snurkt.

Het vogelnest

'Ziezo, de speurtocht kan nu echt beginnen.' Met de
schatkaart op schoot zit vader in het gras. 'Ellie en
Nellie, wakker worden!'
Maar de tweeling is allang wakker. Ze hebben haast
geen oog dichtgedaan vannacht, want er waren de
hele tijd vreemde geluiden te horen. Stilletjes lagen
ze ernaar te luisteren. Gefluister tussen de bomen.
Geritsel in het struikgewas. Vurige ogen in het groen.
En het kampvuur ging al snel uit.
Ze rillen. Het gras is nat en hun kleren zijn nat.
'Gaan we nu naar de schat zoeken?' vraagt Ellie,
terwijl ze opstaat.
'En gaan we dan straks naar oma in Spanje?' vraagt
Nellie.
Vader lacht. 'Kom op zeg, het avontuur is net
begonnen. Ga eerst maar wat takken zoeken. Dan
kunnen we opdrogen bij het kampvuur.'
Grommend doen de meisjes wat vader zegt. Ze lopen
het bos in.
De zon staat nog laag. Het is mistig tussen de bomen.
Overal kruipen mieren en torretjes.
'Ik heb geen zin om naar takken te zoeken,' zegt
Ellie.

'Hoeft ook niet,' zegt Nellie. 'Daar liggen er een heleboel.'

'Waar?'

'Daar, waar die vogel op zit.' Nellie wijst.

Onder een struik zit een grote goudbruine vogel op eieren.

'Dat is een nest,' zegt Ellie.

'Nou en? We nemen die takken mee voor het kampvuur.'

Ellie klapt in haar handen. 'Vort vogel, wegwezen!'

'Ksst!' sist Nellie.

Maar de vogel gaat niet weg. Ze blijft stevig op haar nest zitten en trekt dreigend haar snavel open.

'Wacht zus, ik weet al iets.' Ellie smijt een grote dennenappel naar de vogel. Raak! Luid piepend fladdert het beest op en verdwijnt tussen de struiken.

'Mooi!' Nellie rukt het nest onder de struik vandaan.
Twee eieren rollen weg. Een ervan stoot tegen een
steen en breekt. Het andere blijft tussen de dorre
bladeren liggen.
Met handen vol takken gaat de tweeling terug naar
vader. Vanuit een boom komt een schor en boos
gekras. Ergens in de buurt klinkt gegrom...
Even later brandt het vuur weer.
'Goed gedaan, meisjes,' zegt vader tevreden.
Ze blijven een poosje bij de warme vlammen zitten.
Ze eten vruchten en drinken water uit de vijver. De
zon schijnt tussen de bomen door, niemand heeft het
nog koud.
Vader zit over de kaart gebogen. 'Zien jullie dat
kruisje?' vraagt hij. 'Volgens mij is het helemaal niet
ver hier vandaan. Kijk maar.'
Ellie en Nellie kijken. Vader heeft gelijk. Vlak bij de
open plek met de vijver staat dat kruisje. Ligt daar de
schat? Zouden ze hem vandaag al vinden? Wat zou
dat geweldig zijn!'
Meteen springen ze op. 'Kom op, pappa!'
Vader vouwt de kaart op en loopt achter de meisjes
aan.

Briefjes

Tussen de bomen door stroomt een kabbelend
beekje. Twee groene kikkers zitten op het blad van
een waterlelie. Muggen hangen zoemend boven het
water. Een dikke vis neemt een hapje lucht.
'Hier moet het ergens zijn,' zegt vader. 'We zijn nu op
de plek van het kruisje. Kijk maar, op de kaart staat
dat beekje ook. Zie je wel?'
Met rollende ogen van hebberigheid loeren Ellie en
Nellie om zich heen. 'De schat, we willen de schat!'
Vader klimt in een boom en tuurt tussen de takken
door. 'Ik zie daar icts!'
'Waar?' roept de tweeling uit. Hun ogen beginnen te
fonkelen.
Maar vader wijst niet naar een schatkist, maar naar
een stuk papier dat aan een tak is geprikt. Hij plukt
het eraf en mompelt: 'Wat zou dat nou betekenen?'
Ellie grist het uit zijn handen en vouwt het open. Er
staan woorden op het papier.

WELKOM OP DIT EILAND,
SCHATZOEKERS! GA HIER
RECHTDOOR, VOLG HET BEEKJE
EN GA BIJ DE ZESDE BOOM
NAAR LINKS. KIJK WAT DAAR
LIGT.

Nellie gromt. Geen schat, maar een briefje.
'Geweldig, dat briefje!' zegt vader blij. 'Het is een
echte puzzeltocht aan het worden. Spannend hè,
vinden jullie niet? Veel spannender dan andere
kinderen plagen.'
Ellie en Nellie zeggen niks terug. Ze hebben helemaal
geen tijd om andere kinderen (die hier toch niet zijn)
te plagen. En trouwens: wat heeft dat er nou mee te
maken?
'Zes bomen!' zegt Ellie. Ze klautert langs de bomen
aan de oever van het beekje en telt. 'Vijf... zes... Hier
is het!'
Nellie holt naar haar zus toe. Twee salamanders
schieten geschrokken het water in.
'Ik zie niks,' zegt Nellie.
'Ik wel,' zegt Ellie, 'weer een briefje. Onder die steen
daar.'

'Alweer?' vraagt Nellie. 'Wat een gezeur zeg, die
briefjes. Wat staat erop?'
Ellie leest voor:

NEE, HiER iS HET NOG NiET.
LOOP NOG MAAR EVEN VERDER
LANGS HET PAD EN kijk Bij
DE STRUiK MET ZWARTE BESSEN.
(niet van eten, je wordt er
misselijk van)

'Een pad?' vraagt vader. 'Verdraaid, daar zie ik iets
dat op een pad lijkt.'
Tussen de struiken door loopt een spoor van
platgetrapt gras.
'Hoe kan er nou een pad zijn op een onbewoond
eiland?' zegt Ellie.
'Misschien zijn er toch mensen,' zegt Nellie.
'Of kinderen!' zegt Ellie.
Vader lacht. 'Ik denk dat het is gemaakt door
bosdieren, die elke dag water gaan drinken uit het
beekje.'
'Of door die schatbegraver,' zegt Nellie.
'Dat zou ook kunnen,' knikt vader. 'Kom achter me

aan. Ik geloof dat ik die struik met zwarte bessen al
zie.'
Binnen een minuut staan ze alledrie bij de struik.
Weer geen schatkist, onder het gebladerte ligt alleen
een dode muis. Vlak achter de struik splitst het pad
zich in twee paden. Het ene gaat verder het bos in,
het andere gaat de kant van een heuvel op.
'Twee paden,' zegt Nellie. 'Misschien zijn er ook wel
twee schatten. Daarom heet het hier Tweelingeiland.'
'Eén schat voor mij en ook een voor jou.' Ellie plukt
wat bessen en stopt ze in haar zak. Je weet maar
nooit waar ze die nog eens voor zal kunnen
gebruiken. Nellie glimlacht goedkeurend.
Ondertussen heeft vader een derde briefje gevonden.
Het zat verstopt in de vork van twee takken.
Op het briefje staat:

AHA! NU WORDT HET LASTIG.
LIGT DE SCHAT LINKS OF
LIGT DE SCHAT RECHTS?
KIES DE JUISTE WEG!

Nou ja, zeg! Houdt het dan nooit op met die rare
briefjes? Nu moeten ze nóg langer wachten voordat

ze rijk zijn. Wat een pestkop is die vent die de schat heeft verstopt.

'Of die vrouw,' zegt Nellie.

'Ja, of die vrouw,' zegt Ellie.

Welk pad moeten ze nu nemen? Als ze het verkeerde kiezen, vinden ze de schat nooit van zijn leven. Dan moeten ze bij oma gaan wonen en altijd braaf zijn. Bah nee, dat willen ze niet, hoor.

'Gaan jullie die kant op, dan neem ik het andere pad,' zegt vader. 'En dan roepen we naar elkaar als we iets vinden.'

'Maar pappa, als jij de schat het eerst vindt, mag je niet alles zelf houden, hoor,' zegt Nellie bezorgd.

'Wees daar maar niet bang voor,' zegt vader en hij wandelt fluitend het rechterpad op. 'Zet hem op, meiden!' roept hij nog.

Een big en een kip

Ook Ellie en Nellie lopen weer verder. Het pad is smal
en kronkelt tussen de bomen door. Vlinders
fladderen van bloem naar bloem, een dikke spin zit
in haar web te wachten op een prooi.
'Als we rijk zijn, kunnen we een kasteel kopen,' zegt
Ellie, terwijl ze met een takje het web kapotmaakt.
Nijdig holt de spin weg.
'Jaah!' zegt Nellie. 'Een kasteel met donkere kerkers
vol ratten! Ik heb zó'n zin om daar iemand in op te
sluiten.'
'Ik ook. De juf van school. Weet je nog hoe gemeen
ze altijd tegen ons deed?'
'Ze sloot ons op in een kooi in de klas,' zegt Nellie.
'Wat was dat erg voor ons, hè?'
'Ja, ze verdient straf,' zegt Ellie. 'We stoppen haar in
een kerker en ze mag er nooit meer uit.'
'En ze krijgt zwarte bessen te eten!'
Zo gezellig kletsend lopen de meisjes verder. Het pad
gaat nu schuin omhoog, de heuvel op. Het is warm,
erg warm.
Midden op het pad zit een groot beest. Het wroet met
zijn snuit in de aarde en zit in de weg, Ellie en Nellie
kunnen er niet langs.

'Wat is dat voor beest, zus?'

'Weet ik niet. Het lijkt op een varken, maar het heeft een vieze kleur.'

'Een varken met wratten. Ik heb nog nooit zo'n lelijk varken gezien. Hé lelijkerd, ga opzij!'

Het wrattenvarken blijft zitten waar het zit.

Er klinkt geritsel. Uit de struiken komen twee grijze wrattenbiggetjes tevoorschijn.

'Wegwezen!' brult Ellie. Dat helpt. Geschrokken rennen het varken en haar biggetjes weg. Angstig worstelen de biggen zich tussen de takken door. Ze raken verstrikt in slingerplanten en kunnen geen kant meer op. Boos snuift het moedervarken naar Ellie en Nellie. Maar die trekken zich daar niks van aan.

'Ziezo,' zegt Nellie, 'de weg is vrij. We kunnen erlangs.'

Maar Ellie blijft staan en kijkt naar de biggetjes.

'Wacht even, zus. Zullen we zo'n big vangen?'

'Waarom?' wil Nellie weten.

'Voor op de boerderij in Spanje. Dan geven we dat beest aan pappa.'

'Ja, doen we! Wat zal pappa daar blij mee zijn. Een varken op de boerderij! En misschien krijgen wij die schat dan wel, omdat pappa ons zo lief vindt.'

'Ik denk het ook, zus.' En whoep! Meteen duikt

Nellie de struiken in en heeft ze de big te pakken.
Weer zitten er nieuwe scheuren in haar jurk. De big
krijst en spartelt, maar Nellie sleurt hem het pad op.
Het moedervarken knort woest, maar blijft uit de
buurt. Een gestreepte staart verdwijnt in het groen.
Nellie heeft haar armen om de big heengeslagen,
zodat hij niet kan ontsnappen.
'Goed zo, zus,' zegt Ellie trots.
Maar ja, wat nu? De big moet mee naar pappa, maar
hoe? Nellie kan hem niet de hele tijd blijven
vasthouden, want het beest spartelt als een kind
waarvan je het snoep wilt afpakken.
'Ik weet al wat,' zegt Ellie. Ze trekt haar jurkje uit en
legt er een paar knopen in. De jurk is nu een soort
zak. 'Stop hem hier maar in.'
Nellie propt het krijsende diertje in de zak en Ellie
bindt hem dicht.
Weer lopen ze verder. De jurk met het biggetje sleept
Ellie als een zak aardappels achter zich aan. Het
moedervarken en de andere big zijn nergens meer te
zien.
'Zus,' zegt Nellie, die voor Nellie uit loopt. 'Daar
hangt weer een briefje.'
Uit een gat in een boomstam steekt een opgerold
velletje papier.
Ellie zucht. 'Wat hebben ze nou weer geschreven?'

Ze vouwt het open en kijkt wat erop staat. 'Ik snap er niks van,' zegt ze. 'Hier, moet je lezen.'

NOORD ZUID OOST WEST
WELKE KANT LIJKT JOU
HET BEST ?

□

'Een raadsel!' zegt Nellie. 'Nou ja zeg, het wordt steeds ingewikkelder. Nu weten we helemáál niet meer hoe we verder moeten.'
'Ik wil geen raadsels,' zegt Ellie, 'ik wil niet naar noord of zuid of oost of west. Ik wil geld en goud.'
'Ik ook.'
'We gaan terug naar pappa. Hij moet ons helpen.'
En dus dalen ze de heuvel weer af. Het biggetje kreunt in de hotsende, botsende zak.
'Pappa, waar ben je?' roept de tweeling. 'Pappa, we weten het niet meer. PAPPA!'
Uit het gebladerte van een jonge boom valt een kledder vogelpoep op Nellie's hoofd. Ellie schatert, maar Nellie is woest. Wild geeft ze een ruk aan het boompje waar de poep uit viel.
Er klinkt gekrijs. Een grijze papegaai stort fladderend

omlaag. Versuft kijkt het dier om zich heen.

Daar vrolijkt Nellie van op. 'Een kip, zus. Die nemen we ook mee naar de boerderij. Dat vindt pappa hartstikke fijn.'

Ook zij trekt haar jurk uit en even later zit de woest krijsende vogel in een roze zak. Met een groen blad veegt Ellie het hoofd van haar zus schoon.

Al gauw zijn ze weer terug op de plek waar het pad zich splitste, de plek waar ze vader voor het laatst hebben gezien.

'Pappa!' roepen ze weer en ze lopen het andere pad op.

Hier staan de bomen minder dicht op elkaar. Ze kunnen de lucht zien. Witte wolkjes drijven voorbij, bladeren ruisen. Het waait.

En de zakken hotsen en botsen en de big kreunt en de papegaai krast...

Té erg

'Riepen jullie me? Hebben jullie iets gevonden?'
'Daar is pappa!' Gauw verstoppen Ellie en Nellie hun
jurkjes met de papegaai en de big in de struiken. Pas
als ze de schat hebben gevonden, geven ze vader die
beesten. Niet eerder, want anders krijgen zij
misschien niks van al dat geld. En dan kunnen ze
geen kasteel met donkere kerkers kopen...
'Pappa, we snappen het niet meer,' zegt Nellie.
'Meisjes!' roept vader uit. 'Waarom lopen jullie in je
ondergoed? Waar zijn jullie jurken?'
'Eh...' Ellie krijgt een kleur.
'Kapot, pappa,' zegt Nellie snel.
'Ja, kapot,' knikt Ellie. 'Komt door al die stekels aan
de struiken. Onze jurken zijn kapot gescheurd.'
'Zielig voor ons, hè pappa?' zegt Nellie.
'Hebben jullie het koud?' vraagt vader bezorgd.
Nee, koud hebben ze het niet. De zon schijnt op hun
blote schouders.
'Moet je kijken wat een raar briefje, pappa,' zegt
Nellie. 'Het is een raadsel.'
'Laat maar eens zien.' Vader bestudeert het briefje.
'Een tekening van een vierkant,' zegt hij. 'Hm...
noord... zuid... vier kanten...'

Nadenkend ijsbeert hij op en neer, terwijl hij
mompelt: 'Een vierkant en vier kanten... hm... ja, ik
denk dat... Meisjes, kijk eens goed naar dat
vierkantje. Weten jullie wat dat betekent?'
'Nee,' zegt Ellie kortaf. Ze heeft geen zin er langer
over na te denken.
Vader zegt: 'Het is zo moeilijk niet. Vierkant. De
vierde kant. Noord zuid oost west. Het westen is de
vierde kant. Die kant moeten we op. We gaan naar
het westen.'
Wat knap van vader, dat hij dat zo snel weet! De
tweeling is diep onder de indruk.
Vader kijkt trots. 'In Spanje gaan we vast en zeker
ook zulke spannende avonturen beleven,' zegt hij
voor de zoveelste keer. 'Zou dat niet geweldig zijn?
Veel leuker dan...'
'Waar is het westen?' vraagt Ellie.
'Zie je de zon?' vraagt vader. 'Die zakt straks naar het
westen.'
Ze lopen terug naar de plek waar ze het briefje
vonden.
'Eet eerst iets,' zegt vader. 'Ik heb bananen geplukt.'

Terwijl ze eten, begint de zon te zakken. Blij springt
vader op. 'Die kant! Daar is het westen. Kom op,
meiden.'

En weer gaat de speurtocht verder, langs bomen en door struikgewas, over gras en langs een stroompje water.

Een windvlaag jaagt door het groen. Ellie rilt, Nellie krijgt kippenvel. Het is ineens een stuk kouder dan daarnet. Hadden ze hun jurken maar niet uitgetrokken! Hopelijk ontsnappen de big en de kip niet, anders hebben ze die voor niks gevangen.

'Nee hè?' roept Ellie uit. Ze wijst.

Met punaises is een groot stuk papier op een boomstam geprikt.

'Houdt dat dan nooit op?' bromt Nellie.

'Leuk hè, al die briefjes?' zegt vader. 'Toen ik klein was heb ik nooit zo'n fijne speurtocht gemaakt. Jullie boffen maar, meiden. Ik ben jaloers op jullie.'

Ellie en Nellie vinden helemaal niet dat ze boffen, want het duurt allemaal veel te lang.

Vader leest voor:

JE HEBT DE GOEDE KANT
GEKOZEN ! PRIMA GEDAAN !
JE BENT ER NU BIJNA.
KIJK OM JE HEEN TOT JE
NIKS MEER ZIET EN
    VIND DE SCHAT...

Zuchtend kijken Ellie en Nellie om zich heen.

'Ik zie niks,' zegt Nellie, 'ook geen schat.'

'Ik zie een grot,' zegt Ellie.

'Ik ook,' zegt Nellie. 'Een donkere grot in die heuvel daar.'

'*Kijk om je heen tot je niks meer ziet...*' leest vader voor van het papier op de boom. 'Hm, dat staat er vast niet zomaar...'

Even denken de twee meisjes na. Dan roept Ellie uit: 'Een donkere grot! Dáár zie je niks...'

'Verdraaid,' zegt vader. 'Zou het misschien...'

'Ja! In die grot is de schat!' schreeuwt Nellie. 'Ik weet het zeker! Kom op, zus.'

Ellie en Nellie stormen naar voren. Hun handen veranderen weer in klauwen, hun ogen spuwen vuur. Geld! Goud! Een kasteel met donkere kerkers!

'Ik ben zo zenuwachtig!' roept Ellie uit.

'Ik ook!' schreeuwt Nellie.

Maar zodra ze in de grot zijn, houden ze op met rennen. Wat is het hier akelig donker! Geen hand voor ogen kunnen ze zien.

Voetje voor voetje lopen ze verder. Ze horen geritsel. Gepiep van een dier. Bah, wat zijn er veel beesten op dit eiland! Maar, hoe eng het hier ook is, ze gaan niet terug. Als die schat in deze grot is verborgen, móeten ze hem vinden.

Ze gaan op hun knieën zitten en zoeken tastend om zich heen. De bodem is van steen en koud en vochtig. Er kruipt iets glads en glibberigs over Ellies hand. Gauw trekt ze haar hand terug en geeft het gladde en glibberige een tik. Er klinkt een boos gesis.

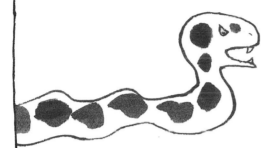

'Ik voel iets,' zegt Nellie. 'Ja, ik heb hier iets te pakken.'
'Een kist? De schatkist?' vraagt Ellie.
'Het is geen kist, het is een... het voelt als... het lijkt wel een koffer.'
'Een schatkoffer! Maak open!'
Nellie onderzoekt de koffer. 'Ik voel het slot.' Ze peutert eraan, maar de koffer gaat niet open. Het slot zit vast.
Nou ja zeg! Ook dat nog! Urenlang hebben Ellie en Nellie naar de schat gezocht en nu ze hem eindelijk hebben gevonden, zit die koffer op slot. Dit is té erg!
Ze ontploffen bijna van kwaadheid.
'Bréék hem open!' brult Ellie.

'Trap hem kapot!' krijst Nellie.
Met gebalde vuisten storten ze zich op de koffer. Ze
bonken erop, ze duwen ertegen, ze trekken eraan.
Maar wat ze ook doen, de koffer blijft zo dicht als
vroeger hun kooi in de klas op school.
'Stomme rotkoffer,' bromt Ellie.
'Stom roteiland,' gromt Nellie.
'Hebben jullie misschien een eh... een sleutel nodig?'
vraagt een stem.

Moeder

Geschrokken van dat plotselinge geluid grijpen de
meisjes elkaar vast. Ellie knijpt Nellie in haar arm.
Die stem... Dat is... dat lijkt wel...

'*Mamma?*' vraagt Nellie.
Een zaklantaarn gaat aan en plotseling is de grot
verlicht. En daar staat moeder, ze is het echt. Hoe kan
dat nou? Ellie en Nellie weten niet wat ze zien. In
haar ene hand heeft moeder de lantaarn, in haar
andere hand een blinkend sleuteltje.
'Verrassing!' zegt moeder lachend. 'Dat hadden jullie
niet gedacht hè, dat ik hier ook zou zijn?'
Nee, dat hadden ze zeker niet gedacht. Waar komt zij
ineens vandaan? Waarom is ze niet bij oma?
Vader, die bij de kinderen is komen staan, grijnst.

'Goeie grap, hè?' vraagt hij.

Grap? Wat voor grap? Wat heeft dit allemaal te betekenen?

'Mamma!' zegt Ellie.

'Straks zullen we alles uitleggen,' zegt vader. 'Ga eerst mamma een knuffel geven en maak dan die schatkoffer maar eens open.'

Gehoorzaam geven Ellie en Nellie moeder een klein kusje op haar wang en daarna grissen ze het sleuteltje uit haar hand.

'Openmaken, zus!' zegt Nellie.

'Diamanten...' mompelt Ellie.

Maar net op het moment dat ze het sleuteltje in het slot wil steken, begint de zaklantaarn te knipperen. Het is nu licht en donker, licht en donker in de grot.

'Lege batterijen,' zegt moeder. 'Ik had er nieuwe in moeten doen. Sorry, Henk.'

'Geeft niet. We nemen de koffer mee naar buiten,' zegt vader, 'anders zien we straks niet wat erin zit. Aan het werk, kinderen.'

Ellie en Nellie grijpen ieder een handvat en slepen de koffer mee naar de uitgang van de grot. De zaklantaarn knippert nog steeds.

Glimlachend lopen vader en moeder achter de tweeling aan. 'We wisten wel dat jullie dit leuk en spannend zouden vinden,' zegt vader.

Moeder knikt. 'Daarom hebben we het ook verzonnen. Wat een hartstikke leuk begin van ons nieuwe leven, vinden jullie ook niet? Misschien zijn er in Spanje ook wel verborgen schatten.'

Verzonnen? Hoezo verzonnen? Ellie en Nellie begrijpen er steeds minder van.

'Geduld,' zegt vader. 'Straks krijgen jullie het hele verhaal te horen.'

Ze lopen verder. De koffer hotst en botst als een zak met een big erin. Hij is loodzwaar, maar dat geeft niet. Nog heel even en dan is het eindelijk zover... Ah kijk, daar is de uitgang. Moeder stopt de zaklantaarn in haar tas en haalt diep adem. 'Frisse lucht,' zegt ze blij. 'Wat heb ik lang in die grot zitten wachten.'

Met een glimlach kijkt ze om zich heen. Naar de bomen, de struiken, de heuvel en... en ineens verdwijnt haar glimlach. Ze zet grote ogen op en wijst naar iets op de heuvel. 'Kijk... kijk daar nou...' stamelt ze. 'Ik zie...'

Wat ze verder zegt is niet te verstaan, want er jaagt een windvlaag door de bomen. Bladeren ritselen, vruchten vallen naar beneden. Het begint te regenen. Ellie en Nellie en vader kijken moeder verbaasd aan. Wat is er aan de hand?

Rennen!

'De heuvel...' zegt moeder. 'Kijk naar de heuvel...'
Het gaat harder regenen. Dikke druppels vallen
omlaag. Het wordt een gordijn van regen.
'Ik zie een beest!' zegt Ellie.
'En daar zit nog een beest!' zegt Nellie.
'Ik zie een heuvel vol beesten!' zegt vader.
Ze zien het allemaal. Er zitten tientallen dieren op de
helling. Een reuzenschildpad met een zwarte vlek op
zijn rug, een grote gestreepte kat, een roofvogel met
een bruine en een witte vleugel, een wrattenvarken
en nog heel wat andere dieren. Stilletjes zitten ze
naar de vier mensen te kijken.

'Daar ligt de koffer,' zegt Ellie.

'Heb jij het sleuteltje?' vraagt Nellie.

'Waarom kijken die dieren zo?' zegt moeder.

'Hoe bedoel je?' wil vader weten.

'Ze kijken woest.'

'Ach welnee,' zegt vader. 'Dieren worden alleen
maar woest als je ze pest of kwaad doet. Ze zijn niet
aan mensen gewend, daarom kijken ze naar ons.'

Ellie en Nellie hebben geen tijd om op de dieren te
letten. Ze peuteren met de sleutel in het slot van de
koffer. Maar ze zijn zo zenuwachtig dat ze het niet
meteen open krijgen.

De grote gestreepte kat steekt zijn kop in de lucht en
brult vervaarlijk. Het lijkt wel of dat een teken was,
want ineens staan alle beesten op uit het gras en
beginnen te lopen. Eerst langzaam, maar het gaat
steeds sneller. Dieren op vier poten, dieren met
vleugels, dieren met schubben. Ze komen recht op de
mensen af.

'Daar heb je ze!' roept moeder uit. 'Zie je nou wel?'

'Verdraaid...' stamelt vader. 'Het lijkt wel alsof ze ons
willen aanvallen...'

Nu kijkt ook de tweeling op en schrikt
verschrikkelijk.

'Ze willen ons bijten!' gilt Nellie.

'Ze willen ons vertrappen!' gilt Ellie.

Ook vader briest. Hij lijkt zelf wel een boos beest.
'Ellie en Nellie, *wat hebben jullie gedaan*?' zegt hij,
terwijl hij langzaam achteruit loopt. 'Waarom zijn die
dieren zo kwaad?'

'Niks, pappa,' zegt Ellie, die zich achter moeder
probeert te verstoppen.

'Echt niet pappa,' piept Nellie. 'We hebben alleen
maar...'

'Alleen maar wat?' Vaders stem klinkt net als vroeger
thuis, als Ellie en Nellie een kind hadden gepest.

Tja, waarover moeten ze vader nu vertellen? Over
die omgegooide schildpad? De steen in het
konijnenhol? De gevangen big en vogel? Zouden die
beesten daarom zo boos zijn?

En dan ineens... Poten worden klauwen, ogen
spuwen vuur. Briesend komen de dieren de heuvel
afdenderen.

'Pappa...' begint Nellie, 'we wilden echt niet...'

Maar vader laat haar niet uitpraten. 'Vertel het me
later maar,' zegt hij, met een blik op de
aanstormende dieren. 'Rennen, meisjes, rennen!
Terug de grot in, gauw!'

En rennen is wat ze doen, zo snel ze kunnen ze de
grot weer in, weg van die boze beesten. Moeder
schudt met de zaklantaarn, maar die doet het nu
helemaal niet meer. Het blijft aardedonker in de grot.

'De koffer...' fluistert Ellie tegen haar zus. 'Ons goud...'

Maar de schatkoffer ligt buiten in het gras. En vanuit dat gras klinkt gebries en gesnuif en het geluid van rennende poten...

Gevangen

Tastend en struikelend lopen ze steeds verder de grot in. Langzaam wennen hun ogen een beetje aan het donker. Ze horen een vogel die opgewonden krast, een varken dat nijdig knort.

'Pappa...' begint Nellie weer.

Vader bromt. 'Straks. Doorlopen.'

Nellie zegt niks meer. Ellie ook niet. Ze durven niet. Stilletjes pakken ze elkaars hand vast.

'En het had zó'n leuke verrassing moeten zijn...' mompelt moeder.

Waterdruppels vallen van het plafond. Twee vleermuizen slaan hun vleugels uit en vliegen weg.

Vader blijft stilstaan. 'Luister eens,' zegt hij.

Moeder luistert. 'Ik hoor niks,' zegt ze.

'Precies,' zegt vader. 'We horen die dieren niet meer. Ze zijn ons niet achterna gekomen. Ze durven de grot niet in. We zijn veilig.'

'Ha! Ze zijn bang in het donker,' zegt Ellie.

'Slome beesten!' zegt Nellie.

Wat nu?

Ze zijn hier dan wel veilig, maar zelf vinden ze het ook akelig in deze natte, duistere grot. Teruggaan

kunnen ze niet, want daar staan die dieren te
wachten.
'Hoeft ook niet,' zegt moeder. 'Er is nóg een uitgang.
Heb ik gezien toen ik die koffer hier verstopte.'
Ach ja, die koffer... die schatkoffer...
'Wijs ons de weg,' zegt vader.
'We gaan dwars door de heuvel heen,' legt moeder
uit. 'Het is eigenlijk meer een tunnel dan een grot.
Aan de andere kant kunnen we ontsnappen.'
Ver weg klinkt het geschraap van hoeven op steen.
Meteen gaan ze nog wat sneller lopen, want je weet
maar nooit...

'Daar is het,' zegt moeder. 'De tweede uitgang! Kom
gauw.'
'Wacht!' zegt vader. 'Ik hoor iets!' Hij tuurt voor zich
uit en kijkt naar buiten. 'Blijf staan!' zegt hij.
'Waarom?' vragen Ellie en Nellie.

'Omdat die beesten daar weer zijn.'

En ja! De weg naar de vrijheid is versperd. Bij de uitgang van de grot staan beesten. Woedende beesten. Een wrattenvarken, een roofvogel met een bruine en een witte vleugel, een grote gestreepte kat, een schildpad met een zwarte vlek...

'Ze zijn om de heuvel heen geld,' zegt vader.

'Ze zijn slimmer dan ik dacht,' zegt moeder. 'Wat nu?'

'We gaan terug, zo snel we kunnen. We moeten eerder dan die beesten bij de andere uitgang zijn.'

Meteen pakt vader Ellie en Nellie bij hun arm en begint te rennen. Moeder haast zich achter hen aan. Doordat ze de weg nu kennen, zijn ze vlugger dan daarstraks. Binnen mum van de tijd zijn ze terug bij de uitgang waar de schatkoffer ligt.

Maar... alweer is de weg naar buiten versperd. Weer staan die beesten daar, alweer diezelfde beesten. Het is hopeloos!

Ellie en Nellie beginnen te huilen. 'Nou zitten we voor altijd opgesloten! Mamma, we willen naar huis.'

'Dat willen we allemaal,' zegt vader. 'Maar wiens schuld is het dat die beesten zo boos zijn? Nou, wiens schuld?'

Ellie en Nellie huilen nog harder. Het zou fijn zijn als vader hen nu zielig vindt. Dan houdt hij op met boos zijn.

'Geen ruzie alsjeblieft,' zegt moeder. 'We hebben wel wat anders aan ons hoofd. Ik heb een idee. Gaan jullie maar terug. Ik blijf hier staan. Ik zal de hele tijd hard praten, dan denken die boze beesten dat we allemáál nog hier zijn. Dan blijven ze bij mij en kunnen jullie vluchten aan de andere kant van de grot.'

De tweeling houdt op met huilen.

'Goed idee, mamma!' zegt Ellie.

'Ja, we willen eruit,' zegt Nellie.

'Maar jij dan, Lies?' vraagt vader. 'Dan zit jij nog steeds gevangen.'

'Dat komt later wel,' zegt moeder. 'Ga nou maar.'

'Zonder jou? Geen sprake van.'

'Ga!' zegt moeder.

'Goed dan.' Met tranen in zijn ogen neemt vader afscheid. 'Wees voorzichtig,' zegt hij.

Dan pakt hij Ellie en Nellie bij de hand en loopt weg. Ellie en Nellie kijken om, maar moeder ziet het niet. Ze staat druk te praten tegen de boze beesten buiten.

In de val

'Als we vrij zijn, gaan we dikke takken zoeken,' zegt Ellie.

'Daar slaan we die beesten mee,' zegt Nellie.

'En we gooien stenen naar ze,' zegt Ellie.

'Ja, dan worden ze bang.'

'Hou op!' zegt vader streng. 'Er wordt niet met stenen gegooid!'

'Maar we moeten mamma redden!'

'Mond houden en doorlopen,' zegt vader.

En weer haasten de meisjes zich van de ene uitgang naar de andere. Hun voeten doen zeer en hun ondergoed is nat van de druppels die van het plafond vallen.

'Pappa, ik ben zo moe,' klaagt Nellie.

'Ik kán niet meer,' kreunt Ellie.

'Nog heel even volhouden,' zegt vader. 'We zijn er zó uit.'

Maar och! Als ze bij de achteruitgang komen zien ze het meteen. Daar zijn alweer die dieren! Ze hebben boze ogen en scherpe tanden en ze vormen een rij zodat niemand er langs kan.

'Mislukt...' kreunt vader. 'Ze zijn ons wéér te slim af.'

Ellie en Nellie grijpen elkaar vast, want ze hebben het

zo koud en ze willen
zo graag dat dit
akelige avontuur
voorbij is.

Vader draait zich om. 'Lies!' roept hij. 'Kun je me horen?'

'Ik kan je horen!' roept moeder terug. Haar stem komt van ver, maar is goed te verstaan in de holle ruimte.

'De beesten zijn hier weer!' roept vader. 'Ga jij maar gauw naar buiten nu je de kans hebt.'

'Kan niet!' schreeuwt moeder. 'Hier zijn ze ook!'

'Wát? Hoe kan dat nou? Die schildpad met de zwarte vlek op zijn schild zit hier.'

'Hier ook.'

'De roofvogel met de witte vleugel zit hier.'

'Hier ook.'

Vader krabt zich op zijn hoofd. 'Asjemenou,' mompelt hij. 'Ik ben een boon als ik het snap.'

Ellie kijkt Nellie aan en Nellie kijkt naar Ellie. Zijn er dan overal twéé van, twee precies dezelfde dieren?

'Ik kom weer naar jullie toe!' roept moeder.

'Doe maar!' roept vader terug. Dan kijkt hij naar zijn kinderen.

'Ellie en Nellie...'

zegt hij zacht. 'Twee precies dezelfde kinderen... en daar... precies dezelfde dieren...'

En op dat moment begrijpen Ellie en Nellie wat er aan de hand is. 'Het zijn *tweelingdieren*...'

'Isla Gemini...' zegt vader. 'Tweelingeiland. Maar het is niet het eiland van de tweeling*heuvels*, het is het eiland van de tweeling*dieren*... Nu snap ik hoe het zit!'

Ja, Ellie en Nellie hebben tweelingdieren kwaad gemaakt. En als een tweeling eenmaal kwaad is... Ze weten zelf maar al te goed dat je dan maar beter uit de buurt kunt blijven. Wat een pech, wat een vreselijke pech dat dit eiland vol zit met tweelingdieren!

'We zitten als ratten in de val,' snikt Ellie.

'We kunnen er nooit meer uit,' zegt Nellie somber.

'En we willen zo graag naar Spanje!'

'Ja, we willen zo graag naar oma!'

En ze willen die schatkoffer terug... Maar dat zeggen ze maar niet...

Stapelgek

Ze zijn weer bij elkaar, Ellie en Nellie en hun ouders.
Ze zijn midden in de grot gaan zitten, zo ver mogelijk
bij de boze beesten vandaan.
'Daar zitten we dan,' zegt vader. 'En voorlopig zullen
we hier wel moeten blijven zitten. Pas als die dieren
dorst krijgen, of honger, gaan ze weg.'
'Of ze komen naar binnen,' zegt Ellie.
'Dan eten ze ons op,' zegt Nellie. Haar ogen zijn groot
van angst.
'Dan mogen ze júllie het eerst opeten,' bromt vader.
'Want het komt door jullie dat die dieren zo boos zijn.
Of niet soms?'
Ellie en Nellie zeggen niks.
'Of niet soms?' vraagt vader streng.
Ellie knikt bedeesd. 'Ik geloof van wel...' zegt ze zacht.
'Wat hebben jullie met die dieren gedaan?' vraagt
moeder.
'Nou eh... alleen maar een beetje geplaagd, mamma,'
zegt Nellie aarzelend. 'Echt waar.'
'Hoezo geplaagd?' vraagt moeder. 'Wat hebben jullie
gedaan?'
Ellie staart naar de grond en fluistert: 'We hebben
een schildpad een duwtje gegeven.'

'Enne... een steentje in een konijnenhol gestopt,'
geeft Nellie toe. 'Maar het was alleen maar voor de
grap, hoor.'
'En...'
'Ho!' bromt vader. 'Zeg maar niks meer. Geen
wonder dat die dieren kwaad zijn. Bah, jullie leren
het ook nooit. Altijd maar pesten, telkens weer.'
'En we hadden nog wel zo'n leuk plan bedacht,' zegt
moeder. 'Naar een geheime schat zoeken, iets
spannenders bestaat er niet!'
Ellie kijkt moeder aan. 'Hebben jullie die schat zélf
verstopt?' vraagt ze. 'Is het geen echte schatkoffer?'
'Het is een koffer vol cadeautjes,' zegt vader. 'Die
verborgen schat was een grapje. De kapitein van het
schip heeft ons geholpen. Hij kent dit eiland goed en
hij heeft de schatkaart voor me gemaakt.'
'Ik ben jullie stiekem achterna gekomen en toen
hebben pappa en ik samen die briefjes op het eiland
verstopt,' vertelt moeder. 'Af en toe liet pappa jullie
even alleen, bijvoorbeeld toen hij zogenaamd hout
ging zoeken. Nou, toen hebben we die papiertjes aan
bomen geprikt.'
'Waarom?' wil Nellie weten.
'Omdat er veel leukere dingen te doen zijn dan
kinderen pesten,' zegt vader. 'Spannende avonturen
beleven! Geheime schatten zoeken. Speurtochten.

We waren van plan allemaal leuke dingen te gaan
doen in Spanje. Wat een feest zou dat zijn geweest.
Jullie zouden dat zó fijn gevonden hebben! Nooit
zouden jullie nog zin hebben gehad om kinderen te
pesten. Daarom hadden we dit plan bedacht.'
'Maar nu is het verprutst,' zegt moeder.
'Die arme dieren...' zegt vader.
Ellie voelt haar lip trillen. 'We zullen het nooit meer
doen,' zegt ze.
'Nooit meer...'
Nellie veegt een traan van haar wang. 'We hebben
spijt!'
Vader verstopt zijn hoofd in zijn handen. 'Meisjes,
meisjes, wat moeten we toch met jullie?'
Op dat moment klinkt er een geluid. Gerommel en
gestommel.
'Daar zijn ze!' gilt Ellie. 'Ze komen naar binnen!'
Nellie vliegt moeder in haar armen. 'Ik wil niet dat
ze me opeten.'
De grote gestreepte kat rent langs, maar het lijkt
er helemaal niet op dat hij iemand wil opeten. Hij
gaat op zijn achterpoten staan en maait met zijn
voorpoten door de lucht, alsof hij een circusdier is.
Even later is hij weer verdwenen.
Met open monden van verbazing kijken ze hem na.
Kijk! Daar is ook de roofvogel met de witte vleugel.

Fladderend rent hij door de grot. Hij spreidt zijn vleugels, maakt een koprol en weg is hij weer.

En zo rent het ene na het andere dier voorbij. Maar geen enkel dier komt op Ellie en Nellie af. Ze fladderen, buitelen, hinkelen als acrobaten en verdwijnen weer. Een lepelaar die twee eieren op zijn snavel laat balanceren. Een konijn met een wuivende zwarte rat op zijn kop. Een varken dat achterstevoren door de grot marcheert.

De vier opgesloten mensen zijn sprakeloos.

Het enige dat vader weet te zeggen is: 'Ik droom...'

'Die beesten zijn gek geworden,' zegt Ellie.

'Stapelgek...' zegt Nellie.

'Ahoy landrotten, zijn jullie daar?'

De kapitein

Een stem! De stem van een mens! Wie kan dat zijn?
'Leven jullie nog?' roept de stem.
'De kapitein!' zegt moeder. 'Het is de kapitein van
ons schip! Joehoe, kapitein, we zijn hier!'
'Ik kom eraan!' roept de kapitein.
'Hoe komt die vent hier?' vraagt Ellie.

'Hij heeft me met een sloep naar het eiland gebracht,'
legt moeder uit. 'Hij zou op het strand op me
wachten.'
'Gelukkig heeft hij dat niet gedaan,' zegt vader. 'Deze
kant op, kapitein!'
Niet veel later is de grot ineens fel verlicht door een
scheepslantaarn, die wordt vastgehouden door een

stralend glimlachende kapitein. 'Ik dacht al dat jullie in nood zaten. Geen paniek, het gevaar is geweken.'

'Wat heeft u met die dieren gedaan?' vraagt vader. 'Ze deden zo raar.'

'Kom maar eens buiten kijken,' zegt de kapitein. Met grote stappen loopt hij verder en allemaal hollen ze achter hem aan. En buiten krijgen ze een wonder te zien.

Het is opgehouden met regenen en waaien. De zon schijnt weer en alle dieren zijn in het gras gaan zitten, twee aan twee. Ze grommen of briesen of blaffen niet meer, maar zitten stil en braaf te wachten. Allemaal kijken ze op naar de kapitein zoals schoolkinderen naar hun juf kijken. De big en de papegaai die Ellie en Nellie hadden gevangen zijn er ook bij, samen met een andere big en papegaai die er precies hetzelfde uitzien. Aan een tak van een struik hangen twee stukgescheurde roze jurkjes. Ellie wijst naar de jurkjes. Nellie ziet ze ook.

'Hooggeëerd publiek, opgelet!' zegt de kapitein. 'Allee hop!' roept hij en hij slaat met zijn zweep op de grond. Alle tweelingdieren komen gehoorzaam om hem heen staan. Het lijkt wel of ze in een circus zijn. De kapitein

voert ze suikerklontjes en graankorrels. Dankbaar
likken de dieren zijn handen. Daarna verdwijnen ze
twee aan twee in het struikgewas.
'Ik vertelde toch al dat ik leeuwentemmer in het
circus ben geweest?' zegt hij. 'Wilde dieren temmen
is helemaal niet moeilijk als je weet hoe het moet.'
'Ik vind het knap,' zegt vader.
'En ook zo dapper,' zegt moeder bewonderend.
De kapitein glimlacht. 'Och, het was een fluitje van
een cent.'
Het gevaar is dus voorbij. Mooi zo! Ellie en Nellie
hollen op de schatkoffer af. Het sleuteltje, waar is het
sleuteltje? Ze willen nu eindelijk hun cadeautjes!
Maar vader grijpt hen bij hun hemdjes. 'Ho!
Afblijven! Die koffer is niet meer voor jullie.'

'Maar...' begint Ellie.

'Hij was... was toch...' stottert Nellie.

'Hij is voor de kapitein,' zegt vader. 'Alstublieft, omdat u ons leven heeft gered.'

Ellie en Nellie kijken beteuterd, maar durven niks te zeggen. Ze hebben verloren. Het is afschuwelijk, maar waar. Daar gáát hun schatkoffer...

'Wat zit erin?' vraagt de kapitein nieuwsgierig.

'Cadeautjes...' antwoordt Nellie sip.

'*Onze* cadeautjes...' stamelt Ellie.

De kapitein grijnst. 'Ik ben gek op cadeautjes,' zegt hij. 'Hartelijk bedankt, hoor. Zit er ook een sleuteltje bij?'

Grommend geeft Ellie hem het sleuteltje. Bah, wat een vervelend avontuur is dit. Het is niet eerlijk! 'Zullen dan nu maar van dit eiland weggaan?' stelt de kapitein voor. 'Mijn schip ligt te wachten en er ligt een roeiboot voor ons klaar. Kom maar achter me aan. Jullie zullen wel honger hebben. De scheepskok rekent op ons. Enne, meisjes, neem die jurkjes ook maar mee. Die heb ik gevonden toen ik naar jullie op zoek was.' Hij knipoogt naar Ellie en Nellie. 'Ik zal maar niet verklappen wat er in die jurkjes zat,' fluistert hij.

De tweeling bloost.

Slot

Een uur later zijn ze terug op het grote schip.
'En nu... op naar Spanje!' zegt de kapitein.
De motoren worden gestart. Langzaam verdwijnt Isla
Gemini uit het zicht, het eiland van de tweeling-
dieren...
Vader en moeder zijn met de kapitein aan een tafel
gaan zitten.
Ellie en Nellie hebben zich in hun hut verstopt.
Geen schatkoffer, wat verschrikkelijk.
Ellie geeft een kussen een stomp.
Nellie smeert tandpasta op een spiegel.
'Ik ben zo kwaad,' zegt ze. 'Ik zou wel een Spaans
kind willen krabben.'
'Ik ook, zus,' zegt Ellie. 'Zo'n stom Spaans kind. En ik
zou wel een beest willen bijten.'
'Ik ook!' zegt Nellie. 'Zo'n stom tweelingbeest.'
'Wacht maar tot we bij oma zijn...' gromt Ellie.
Nellie grijnst. 'Onze wraak zal zoet zijn, zus.'
'Nou en of!' zegt Ellie. 'Nou en of. Moet je horen wat
ik heb bedacht, zus...'

'Wilde dieren temmen,' zegt vader, 'ik wou dat ik dat
ook kon. Wilt u het me leren, kapitein?'

'Dat wil ik best,' antwoordt de kapitein. 'Hoezo? Wilt u in een circus gaan werken?'

Vader schudt zijn hoofd. 'Dat niet. Maar eh... er zijn twee wilde *meisjes* die ik dolgraag zou willen temmen.'

De kapitein moet daarom lachen.

Moeder ook.

'Wilde meisjes temmen is reuze eenvoudig,' zegt de kapitein. 'Dat kan ik jullie best even leren. Luister goed...'

De kapitein vertelt en vader en moeder luisteren goed. En hoe langer ze naar de kapitein luisteren, hoe breder hun glimlach wordt.

'Aha,' zegt vader. 'Dus zó moeten we dat aanpakken in Spanje... Dus zó kunnen we ervoor zorgen dat Ellie en Nellie voor altijd braaf worden... Dat we daar zelf nooit aan hebben gedacht!'

'Ik heb nooit geweten dat het zo makkelijk zou zijn,' zegt moeder. 'Welbedankt kapitein, u heeft ons enorm geholpen.'

'Och, het was niets,' zegt de kapitein luchtig. 'Nog bedankt voor die koffer. Leuk hoor, die cadeautjes. Mijn kleinkinderen zullen er blij mee zijn.'

Een eindje verderop op het schip zitten nog altijd Ellie en Nellie in hun hut. En als die eens zouden weten wat de kapitein zonet aan hun vader en moeder heeft verteld... Als die eens zouden weten wat hun in Spanje te wachten staat...